Gwyliau Pitw
Gwyn Morgan

Cyflwynaf y llyfr i ffyddloniaid Siloam, Penderyn
ac i Joyce.

© y testun Gwyn Morgan 2014
© y lluniau Dai Owen 2014

Cyhoeddwyd gan Wasg y Dref Wen,
28 Ffordd yr Eglwys,
Yr Eglwys Newydd, Caerdydd CF14 2EA
Ffôn 029 20617860

Mae'r cyhoeddwr yn cydnabod cefnogaeth ariannol
Cyngor Llyfrau Cymru.

Argraffwyd ym Mhrydain.

Gwyliau Pitw

Gwyn Morgan
Lluniau gan Dai Owen

DREF WEN

Pennod 1
Daeth i ben ...

Pan laniodd y llythyr ar y mat ger y drws ffrynt roedd Idris yn gwybod bod y newyddion drwg wedi cyrraedd.

"Bydd yn rhaid i ti ei agor e," meddai Pat.

Roedd Pitw, mab Idris a Pat, wrthi'n glanhau ei gasgliad o hen ddarnau arian gyda finegr.

"Oes post?" gwaeddodd Pitw.

"Oes," gwaeddodd Pat yn ôl o'r gegin.

"I fi?" gofynnodd Pitw.

"Gwaetha'r modd, nac oes," meddai Idris.

"Dwi'n dod," meddai Pitw.

Clywodd rhieni Pitw'r traed yn taranu i lawr y grisiau pren.

"Beth sy'n bod?" gofynnodd e.

"Dw i wedi bod yn disgwyl y llythyr hwn ers

tro byd," meddai Idris. "Rydw i'n colli fy ngwaith. Mae fy adran i yn y brifysgol yn cau."

Agorodd Idris y llythyr a'i ddarllen yn bwyllog.

"Sdim ots Dad," meddai Pitw. "Gallai fod yn waeth …"

"Wel, dwn i ddim," meddai Pat. "Fydd dim gwyliau tramor eleni."

"A daeth i ben deithio byd …" meddai Idris yn drist.

Roedd Pitw'n dwlu ar ei wyliau blynyddol. Ar hyd y flwyddyn roedd ei fam a'i dad ac ef ar wahân, pawb yn ei fyd bach ei hun. Y gwyliau fyddai'r unig gyfle oedd ganddyn nhw i fod gyda'i gilydd. A nawr roedd yr amser arbennig hwn yn mynd i ddiflannu.

Pennod 2
Teulu Pitw

Penderfynodd Pitw y byddai'n rhaid iddo orwedd ar ei wely a meddwl. Dyna oedd y lle gorau i feddwl. Penderfynodd chwarae tenis bwrdd negyddol, cadarnhaol gyda'i feddyliau.

Ping, dim gwyliau – pong, arbed arian.

Ping, pawb i ffwrdd ond fi – pong, cyfle i ddarllen.

Ping, diflastod o fod yn unig – pong, ymweld â'r llyfrgell yn fwy aml.

Ond o dipyn i beth gwreiddiodd syniad ym mhen Pitw. Y gwyliau – beth fyddai e'n gallu gwneud yn lle mynd ar ei wyliau? Yna tyfodd coesyn, dail a blodau'r syniad gwallgo yn ei ben.

Daeth y syniad yn araf a thawel wrth i Pitw orwedd ar ei wely, a'r meddyliau'n ping-pongio yn ei ben. Roedd y teledu'n llawn o raglenni gwyliau. Ond doedd pobl ddim yn gallu fforddio mynd i ffwrdd. Beth am ddychmygu gwyliau? Gwyliau rhithwir. Gwyliau rhithwir Pitw!

Doedd Pitw ddim yn un i eistedd i lawr a gwneud dim. Roedd yn ddarllenwr brwd, yn gasglwr, yn ddyfeisiwr, yn entrepreneur wrth reddf. Hyd yn oed pan oedd hi'n edrych i bawb arall fod Pitw'n eistedd i lawr a gwneud dim, roedd ei feddwl yn gweithio'n galed iawn. Dyma pryd y byddai e'n cael ei syniadau mwyaf dychmygus.

Roedd Pitw yn aelod o'r clwb gwyddbwyll a'r clwb darllen yn yr ysgol a'i ffrind gorau oedd GPR neu Geraint Peregrine Richards. Roedd yn rhaid iddo ddweud wrtho fe am ei syniad newydd.

Pennod 3
GPR

"Dw i wedi cael syniad campus," meddai Pitw.
"Byddi di'n hollbwysig yn llwyddiant y cwmni."

"Cwmni?" gofynnodd GPR.

"Ond beth am gael gêm o denis bwrdd yn gyntaf?" awgrymodd Pitw. "Wedyn efallai y galli di roi help llaw i fi i orffen lliwio'r hysbysebion?"

Roedd Pitw wedi dysgu bod yn rhaid cyflwyno syniadau'n araf i bobl os oedd e am newid eu meddyliau.

9

"Oes bwrdd tenis bwrdd gyda ti, Pitw?" gofynnodd GPR.

"Un pitw," meddai Pitw. "A bydd te cyn bo hir."

"Grêt," meddai GPR.

Ar ôl chwarae a gweiddi wrth y bwrdd tenis bwrdd bach, aeth y ddau ati i orffen lliwio'r hysbysebion.

"Does dim rhaid iti fynd i'r fath drafferth," meddai GPR. "Gallwch chi ddod gyda ni ar ein gwyliau, mae digon o le yn ein tŷ haf ni."

"Dim diolch," meddai Pitw. "Mae'n fater o hunan-barch."

Doedd GPR ddim yn deall ateb Pitw, ond os dyna oedd penderfyniad ei ffrind, dyna oedd diwedd y mater.

Penderfynodd Pitw wneud brechdanau jam i GPR am eu bod nhw'n rhad a blasus. Efallai y byddai'n dechrau busnes darparu brechdanau jam neu farmalêd, yn chwaer gwmni i'r Cwmni Gwyliau Rhithwyr.

"Blasus iawn," meddai GPR. "Gawn ni ddiod hefyd?"

"Rhy gostus," meddai Pitw. "Dŵr yw'r ddiod rataf."

"Mae'r amseroedd yn rhai caled," meddai GPR.

"Gwell inni beidio â dweud wrth Dad a Mam am y fenter newydd," meddai Pitw gan bwyntio at ei drwyn. "Taw piau hi."

"Deall," meddai GPR gan chwincio.

Pennod 4
Idris a Pat

Doedd Idris erioed wedi bod allan o waith yn ei fywyd. Roedd tad Pitw'n ddyn tal, golygus gyda'i wallt hir wedi'i glymu mewn cynffon ceffyl ar gefn ei ben. Roedd ganddo nifer fawr o lyfrau ar bob math o bynciau, yn dangos dyn mor glyfar oedd e. Roedd y tŷ'n gwegian dan bwysau'r llyfrau gwahanol. Dyn tawel oedd Idris, dyn oedd yn hoffi meddwl. Dyn oedd yn symud yn araf, dyn oedd yn rhoi ei farn yn glir a phwyllog ar bopeth.

Roedd Pat yn wraig fach frysiog. Byddai hi'n symud yn gyflym drwy'r tŷ gan ochrgamu o gwmpas y celfi wrth symud. Doedd ganddi hi ddim un funud i wastraffu. Cerddor proffesiynol oedd Pat, ond roedd hi hefyd yn dwlu ar bêl-droed. Roedd hi'n treulio tipyn o amser yn teithio gyda'r gerddorfa neu'r pedwarawd llinynol ond bach iawn o arian fyddai hi'n ei gael am yr holl berfformio. Byddai hi wastad yn hymian yn dawel ba bynnag ddarn yr oedd hi a'i chyfeillion yn canu ar y pryd.

Pennod 5
Cyfarfod toriadau

Cyhoeddodd Idris y byddai cyfarfod teuluol ar ôl swper.

"Am beth?" gofynnodd Pitw.

"Y toriadau," meddai Idris.

Cliriodd y tri y llestri a dilyn y drefn fyddai'n digwydd ar ôl swper bob nos. Roedd Pat yn golchi, Idris yn sychu a Pitw'n gosod y llestri, y platiau a'r sosbenni yn ôl yn eu lle.

Rhoddodd Pat restr o bethau i'w trafod yn y cyfarfod i bawb awr o flaen llaw. Roedd hyn er mwyn i bawb gael amser i ystyried beth oedd o dan sylw ac i ychwanegu syniadau eraill os oedd rhai ganddyn nhw. Fedrai Pitw ddim dweud am ei syniadau i godi arian dros y gwyliau. Roedden nhw wedi cael digonedd o bopeth yn y gorffennol – teithio i ynysoedd pell – Ynysoedd Erch, Ynysoedd Faroe, Ynysoedd Arran yng Ngorllewin Iwerddon ac ati. Ond sut wyliau fyddai'r rhain?

Cytunwyd ar sawl toriad.

1. Dim ond am awr yn y bore ac awr yn y nos y byddai'r gwres canolog yn cael ei danio.

2. Os oedd rhywun yn teimlo'n oer, byddai'n rhaid gwisgo mwy o ddillad i gadw'n dwym.

3. Rhaid diffodd golau ystafell pan fyddwch yn gadael ystafell.

4. Rhaid cau drws bob ystafell i gadw'r gwres ynddi.

5. Rhaid gohirio'r papurau newyddion a'u darllen o hyn ymlaen yn y llyfrgell.

6. Byddai'n rhaid cerdded yn fwy a defnyddio'r gwasanaeth bysys yn fwy aml yn hytrach na gyrru'r car.

7. Byddai'n rhaid prynu mwy o ddillad wedi eu hailgylchu yn y siopau elusennol.

8. Byddai'n rhaid gosod mwy o fylbiau trydan hir dymor yn y tŷ.

Pennod 6
Mwy o newyddion drwg

Disgynnodd newyddion drwg iawn arall ar y mat ger y drws ffrynt y tŷ. Roedd Pat, mam Pitw, yn mynd i golli ei gwaith yn y gerddorfa. Roedd yn rhaid i'r gerddorfa dorri'n ôl ar ei chwaraewyr. Doedd dim i'w wneud ond cael gwared ar un o bob tri o offerynwyr y gerddorfa. Roedd Pat yn un o'r rheiny.

Gwyliau rhithwir

"Brechdan jam?" gofynnodd Pitw.

"Jyst y peth," meddai GPR. "Jam mefus os gweli di'n dda."

"Brechdan allan o dost neu ddim ond bara, heb ei dostio?" gofynnodd Pitw.

"Bara heb ei dostio, plîs," meddai GPR. "Sut mae Mecsico yn dy daro di?"

"Mae'r DVD yn wych am ei fod yn rhad ac am ddim," meddai Pitw. ""Bydd eisiau inni ymweld â siopau elusen i gael gwisgoedd."

"Ni?" gofynnodd GPR. "Fedra i ddim gwerthu

tywod i Arab. Dyw'r ddawn ddim gyda fi."

"Dw i'n dibynnu arnat ti," dywedodd Pitw. "Beth bynnag, ar ôl cyflwyno ein gwlad gyntaf, bydd cyflwyno'r gwledydd eraill yn hawdd."

"Ond sut fyddwn ni'n gwerthu Mecsico fel gwyliau rhithwir i bobl?" gofynnodd GPR.

"Wel, er mwyn cael y profiad llawn, bydd yn rhaid mynd â'r cwsmer o'r stafell wely i ben y daith ac yn ôl eto," meddai Pitw. "Yn gyntaf, bydd yn rhaid pacio, ac wedyn dal y tacsi."

"Pacio?" gofynnodd GPR yn amheus. "Roeddwn i'n meddwl y byddai Gwyliau Pitw Cyf yn osgoi'r holl ffwdan yna."

"Dw i wedi ailfeddwl," meddai Pitw. "Mae'n rhaid i ni fynd o'r cychwyn cyntaf a chreu drama o'r holl sefyllfa a'i wneud mor real ag sy'n bosib."

"Beth?" gofynnodd GPR. "Ni sy'n helpu'r cwsmer i bacio?"

"Yn hollol," meddai Pitw. "A ni fydd yn esgus mynd â'r cwsmer i'r maes awyr hefyd. Ni fydd yn y sedd gefn yn esgus sgwrsio am y gwyliau, ni fydd yn y rhes wrth aros am y tocynnau a rhoi'r

bagiau yn yr awyren."

"Mae hynny'n wallgo'," meddai GPR. "Fedri di ddim twyllo pobl fel'na."

"Nid twyllo pobl," meddai Pitw. "Dwi'n defnyddio beth sydd gyda ni gyd er mwyn creu sefyllfa real. Mae cymaint gyda ni ond, wrth dyfu'n oedolion, mae e'n mynd ar goll."

"Beth wyt ti'n ei feddwl?" gofynnodd GPR.

Edrychodd Pitw yn drist ar ei gyfaill. "Dychymyg, GPR," meddai Pitw. "Dychymyg."

"O, wela' i," meddai GPR yn amheus.

"Dydy oedolyn ddim yn troi cadair i fod yn gar ydy e?" gofynnodd Pitw.

"Nac ydy," meddai GPR, gan ddechrau gweld pendraw dadl Pitw.

"Pan fyddwn ni yn y sied ar waelod yr ardd, beth fyddwn ni'n ei chwarae?" gofynnodd Pitw.

"Gofodwyr, wrth gwrs," meddai GPR.

"Beth fyddwn ni'n chwarae ar iard yr ysgol?" gofynnodd Pitw.

"Cowbois ac Indiaid," meddai GPR gan wenu.

"Yn gwmws," meddai Pitw. "A phe baen ni'n mynd o dan y ford, beth fydden ni'n chwarae?"

"Wel, morwyr mewn llong danfor wrth gwrs," meddai GPR. "Ti yw'r capten a fi yw'r peiriannydd pwysig …"

"Ac mae octopws mawr wedi gafael ynon ni,"

meddai Pitw gan wenu'n braf. "Deall?"

"Deall," atebodd GPR.

"Alli di weld oedolion yn chwarae'r gemau hynny?" gofynnodd Pitw.

"Na," meddai GPR. "Achos mae llawer o bethau pwysicach 'da nhw i'w wneud."

"Ond beth sy'n bwysicach na'r dychymyg?" gofynnodd Pitw. "Felly rwyt ti a fi'n mynd i ailddeffro dychymyg rhai o'n cwsmeriaid a mynd â nhw ar eu gwyliau. Gwyliau rhithwir. Byddwn ni'n dewis pethau sydd yn eu tai nhw'n barod i'n helpu gyda'r siwrne. Byddwn ni'n aros gyda nhw ac yn mynd â nhw i'r gwely ac yn eu dihuno nhw'r bore wedyn. Byddwn ni yno gyda nhw pan fydd llong ofod estron yn clymu ei adenydd o gwmpas ein hawyren ni a byddwn ni'n siglo maracas dychmygol gyda nhw wrth ganu."

"Dydw i ddim yn siŵr alla i ddarparu'r gwasanaeth hynny gystal â ti, Pitw," meddai GPR.

"Fi yw'r arweinydd," meddai Pitw. "Y cyfan sy'n rhaid i ti ei wneud yw dilyn a gadael popeth arall i dy ddychymyg. Ond yn gyntaf rhaid i ni ddosbarthu taflenni Gwyliau Pitw Cyf i weddill y stryd."

Pennod 7
Cyfweliad Idris

Roedd cyfweliad gan Idris am chwarter i ddeuddeg yn y swyddfa Byd Gwaith. Artemis oedd enw ei gyfwelydd. Gwisgodd Idris yn daclus er mwyn creu argraff dda.

Croesawyd e i'r swyddfa gan Mr Faraday. "Dewch draw i gwrdd ag Artemis, Idris," meddai Mr Faraday. "Llenwch yr holiadur ac arbedwch bopeth."

"Roeddwn i'n meddwl fy mod i'n cael cyfweliad gyda Mr Artemis?" gofynnodd Idris.

"Mi rydych chi," meddai Mr Faraday. "Enw ein cyfrifiadur yw Artemis! Byddwn yn cysylltu â chi yn y cyfamser."

Chwarddodd Idris yn dawel. Roedd e wedi treulio'r bore cyfan yn paratoi i gael cyfweliad gyda chyfrifiadur.

Patrwm gwaith newydd

Penderfynodd Pat roi gwersi ffidil i ddisgyblion preifat yn ei thŷ. Byddai gwich sgrechlyd y ffidil yn dianc o'r gegin bob hyn a hyn. Gwenodd Pat drwy'r cyfan gan ddweud wrth y disgyblion eu bod yn gwella bob dydd.

Treuliodd Idris amser maith yn ei ystafell yn gwneud ymchwil ac yn ei lyfrau. Weithiau byddai'n dod o hyd i'r union beth yr oedd e'n chwilio amdano. Byddai hynny'n ei wneud yn hapus dros ben.

Pennod 8
Y cymdogion – Mr Elfed

"Mr Elfed," galwodd Pitw. "Pitw sy yma. Rydw i'n dechrau busnes."

"Pitw. Pitw yn ddyn busnes?" gofynnodd Mr Elfed. "Amhosib. Faint ydi dy oed di?"

"Wyth a thri chwarter Mr Elfed," meddai Pitw.

"Dere i mewn a dwed beth sy ar dy feddwl di," meddai Mr Elfed.

Dyma gwsmer cyntaf Pitw ac felly roedd yn rhaid iddo greu argraff dda. Cyrhaeddodd cegin Mr Elfed. Gwelodd ffwrn fawr AGA, bwrdd pren hir a thusw o flodau ar y bwrdd.

"Rydwi'n cynnig gwasanaeth gwyliau rhithwir," meddai Pitw.

"Rhithwir?" gofynnodd Mr Elfed. "Beth yn y byd yw gwyliau rhithwir?"

"Rhithwir yn yr ystyr ein bod ni, y cwmni, yn mynd â chi ar eich gwyliau am awr neu ddwy, heb i chi orfod symud o'r tŷ," meddai Pitw. "Rydyn ni'n darparu brechdanau jam yn ogystal."

Lledodd gwên ar wyneb Mr Elfed. Elfed Thomas oedd ei enw llawn, ond Mr Elfed oedd enw Pitw arno fe.

"Dw i ddim yn siŵr am frechdanau jam," meddai Mr Elfed.

"Rydyn ni'n cynnig eu tostio nhw hefyd petai gan y cwsmer ddiddordeb," meddai Pitw yn sydyn.

"Pa wledydd rych chi'n eu cynnig ar hyn o bryd?" gofynnodd Mr Elfed.

"Un lle yn unig ar hyn o bryd, Mr Elfed," meddai Pitw. "Mecsico. Rydyn ni'n aros i'r llysgenadaethau eraill anfon mwy o wybodaeth aton ni."

"Wel, fe fydda i'n aros tan y bydd gan gwmni Gwyliau Pitw Cyf fwy o fanylion am wledydd eraill," meddai Mr Elfed.

"Diolch am eich amser," meddai Pitw. "Tan y tro nesaf."

Cododd Pitw o'r gadair a mynd ymlaen at y tŷ drws nesaf.

28

Pennod 9
Mr a Mrs George

Doedd neb yn y tŷ drws nesaf felly postiodd Pitw'r hysbyseb drwy'r blwch llythyrau. Gŵr a gwraig oedd yn byw yma, Mr a Mrs Jenkins. Roedd e'n gweithio i ffwrdd a Mrs Jenkins yn edrych ar ôl ei mam. Cnociodd Pitw ddrws y tŷ nesaf lle'r oedd pâr arall oedrannus yn byw. Mr a Mrs George oedden nhw. Plismon oedd e ond ar ôl iddo fe gael trawiad ar ei galon doedd e ddim yn gallu gwneud rhyw lawer, a byddai e'n gorfod gorffwys am oriau bob dydd.

Cnociodd y drws a gwelodd Mrs George yn dod i'w ateb.

"Pitw sy 'ma," meddai Pitw. "Cynnig gwasanaeth newydd sbon i chi."

"Pitw, ti sy 'na," meddai Mrs George.

"Ie," gwenodd Pitw. "Fi yw perchennog Gwyliau Pitw Cyf."

Daeth Pitw i'r lolfa.

"Mae ŵyr 'da ni'r un oed â ti," meddai Mr George.

"Grêt," meddai Pitw.

"Hoffet ti wydryn o fy sudd banana arbennig

i?" gofynnodd Mrs George.

"Sudd banana!" meddai Pitw. "Dyna fy hoff sudd yn y byd."

Diflannodd Mrs George i'r gegin.

"Pa wasanaeth yw hwn?" gofynnodd Mr George.

Roedd Pitw wedi dysgu fod yn rhaid sgwrsio ychydig â'r cwsmer cyn gwerthu ei gynnyrch.

"Cyn iti ddechrau," meddai Mr George. "Fedri di helpu gyda'r pos croesair?"

"Galla i drio," meddai Pitw.

"Beth yw prifddinas Kazakhstan?" gofynnodd Mr George.

George Evans oedd enw ei gwsmer newydd. Ond roedd yn well gan Pitw alw pobl yn ôl eu henwau bedydd.

Goleuodd llygaid Pitw.

"Fel mae'n digwydd, rydw i'n dipyn o arbenigwr ar brifddinasoedd," meddai Pitw.

"Cer o 'ma!" meddai Mr George. "Oes chwe llythyren 'da fe?"

"Oes," meddai Pitw.

Daeth Mrs George i mewn gyda jwg yn llawn o

sudd banana.

"Fedra i ddim rhoi'r rysait iti, gan mai cyfrinach deuluol ydy hi, ond gobeithio y byddi di'n hoffi'r blas," meddai Mrs George.

Aeth y sgwrs yn ei blaen am ysgol, rhieni Pitw a'r byd yn gyffredinol. Dysgodd Pitw mai dyna oedd yn rhaid ei wneud er mwyn gwerthu ei gynnyrch.

O dipyn i beth soniodd Pitw am y syniad newydd sbon danlli oedd ganddo o gynnig Gwyliau Pitw Cyf.

"Diolch yn fawr," meddai Mrs George. "Fe wnawn ni ystyried."

Gadawodd Pitw'r tŷ a sylweddolodd nad oedd wedi dweud enw prifddinas Kazakhstan wrth Mr George. Byddai'n gorfod dweud wrtho eto. Ond yn fwy pwysig, sylweddolodd Pitw fod y noson werthu ddim wedi bod yn rhy lwyddiannus chwaith. Roedd e wedi treulio llawer gormod o amser ym mhob tŷ hefyd. Byddai'n rhaid trefnu ei sgwrs gyflwyno yn well o hyn ymlaen. Ond gydag ymarfer, roedd Pitw'n siŵr y byddai'n gwella.

Pennod 10
Miss Pearl

Dim ond un tŷ oedd ar ôl. Tŷ Miss Pearl.

Hen wraig yn byw ar ei phen ei hun oedd Miss Pearl. Nid Miss Pearl oedd ei henw go iawn. Pearl Fisher oedd ei henw. Roedd sôn ei bod hi'n dechrau drysu ychydig bach. Roedd y golau ymlaen, a gallai Pitw weld Miss Pearl yn y stafell ganol ar ei phen ei hun.

Cnociodd Pitw'r drws. Erbyn hyn roedd hi'n mynd yn hwyr a byddai Idris a Pat yn disgwyl amdano. Beth fyddai i swper, meddyliodd Pitw? Roedd y busnes gwerthu yma yn cymryd llawer o amser. Ond dyna fe, er mwyn ennill ei filiwn cyntaf roedd rhaid gwneud y gwaith caib a rhaw. Roedd Miss Pearl yn cymryd amser hir i ddod i'r drws. Arhosodd Pitw am ychydig gan feddwl nad oedd hi ddim wedi clywed.

"Pitw, Miss Pearl," meddai Pitw.

"Beth sy'n bod, Pitw?" gofynnodd hi.

Roedd Miss Pearl wedi gweithio mewn swyddfa gyfreithwyr am dros bedwar deg o flynyddoedd. Erbyn hyn roedd hi'n cael trafferth cerdded hefyd.

"Rydw i'n dechrau gwasanaeth newydd," meddai Pitw.

Cafodd groeso mawr a gwahoddiad i eistedd ar y soffa.

"Pa wasanaeth, Pitw?" gofynnodd Miss Pearl yn llawn chwilfrydedd.

"Gwyliau Rhithwir," meddai Pitw. "Hoffech chi fynd i Fecsico, Miss Pearl?"

"Mecsico?" gofynnodd Miss Pearl.

"Gallwn ni drefnu brechdanau jam neu farmalêd i fynd gyda chi ar eich gwyliau," meddai Pitw.

"Roedd fy nghariad yn ddyn busnes," meddai Miss Pearl. "Ond aeth e i'r fyddin a ddaeth e ddim yn ôl. Mae llun ohono fe gyda fi lan llofft."

Doedd Pitw ddim eisiau torri ar draws Miss Pearl, ond doedd e ddim eisiau gweld lluniau o'i chariad chwaith. Roedd ei stumog yn gwegian a gwichian o eisiau bwyd. Ond roedd yn rhaid gwneud y pethau bychain (fel y byddai Dewi Sant yn dweud) cyn cael ei ddwylo ar y miliynau ar filiynau o bunnoedd y byddai'r busnes yn ei godi iddo fe.

Yn sydyn cododd Miss Pearl a diflannu lan lloft.

"Wedi mynd i nôl llun o'i chariad," meddai Pitw wrtho'i hun.

Canodd y cloc tad-cu tal yn y gornel naw caniad. Roedd hi'n naw o'r gloch. Edrychodd Pitw o gwmpas ei stafell. Roedd y celfi mor drwm a mawr. Clywodd sŵn traed Miss Pearl yn cerdded o stafell i stafell.

"Chwilio am hen luniau y mae hi, mae'n siŵr," meddai Pitw.

Roedd hi'n bum munud wedi naw. Dechreuodd Pitw adrodd ei dablau o un i ddeg yn ei feddwl.

Roedd hi'n ddeng munud wedi naw. Clywodd sŵn traed yn cerdded ar hyd un stafell. A! Roedd hi wedi dod o hyd i'r lluniau.

Roedd hi'n chwarter wedi naw.

Dywedodd Pitw ei dablau eilrif yn ei ben ac wedyn ei dablau odrif.

Roedd hi'n ugain munud wedi naw.

Doedd dim sŵn traed. A! Roedd hi'n eistedd ac yn dewis pa lun i ddangos i Pitw. Ai'r llun o'i chariad ar y tanc? Yr un o'i chariad yn bwyta cig camel yn y diffeithwch? Ceisiodd Pitw gofio pob un o'r timau pêl-droed yng Nghynghrair Cymru. Byddai hynny'n hwyl. Chlywodd e ddim sŵn o gwbl am amser. Daeth Pitw o hyd i'r degfed tîm ar hugain yng Nghynghrair Cymru pan benderfynodd fod hyn yn wirion bost

Roedd hi'n hanner awr wedi naw. Aeth i waelod y grisiau a galw ar Miss Pearl.

"Miss Pearl?" galwodd yn ei lais tawel. "Miss

Pearl?"

Ddaeth dim ateb. Felly aeth yn ôl i'r lolfa. Penderfynodd feddwl am enwau chwaraewyr criced oedd yn dechrau a'r llythyren A ac wedyn mynd ymlaen drwy'r wyddor wrth aros. Gan ba lythyren fyddai'r nifer fwyaf o enwau?

Roedd hi'n chwarter i ddeg. Roedd Pitw wedi bod yn y stafell ar ei ben ei hun am dri chwarter awr. Doedd dim siw na miw i'w glywed lan llofft. Aeth i waelod y grisiau unwaith eto.

"Miss Pearl?" galwodd.

Ddaeth dim ateb. Roedd hi'n hwyr iawn. Beth ddylai Pitw ei wneud? Cerddodd at y drws. Agorodd a chaeodd y drws ar ei ôl a mynd adre. Roedd hi wedi bod yn noson anobeithiol o ran gwneud arian ond, fel roedd e wedi clywed Syr Alan Sugar yn ei ddweud, doedd dim byd yn ofer ym myd busnes. Byddai'n siŵr o fod yn gallu defnyddio'r profiad yn y dyfodol i ryw bwrpas.

Pennod 11
Astana

Y bore nesaf dihunodd Pitw'n sydyn. Roedd e wedi cael breuddwyd ofnadwy yn ystod y nos. Roedd e wedi colli Miss Pearl. Bu'n chwilio amdani o dan sinc y gegin ond doedd hi ddim yno. Roedd hi wedi cael ei gwneud yn fach fel pensil ac roedd hi'n sownd yn un o'i lyfrau.

Gwisgodd Pitw a brwsio'i ddannedd. Canodd cloch y drws. Pan agorodd Pitw ddrws ffrynt ei dŷ, yno yn ei ddisgwyl, o bawb, roedd Miss Pearl – ond roedd hi yr un maint ag y dylai hi fod nawr, nid maint pensil.

"Lluniau?" gofynnodd Pitw.

"Wn i ddim," meddai Miss Pearl. "Ond mae dy

enw di ar yr amlen ddaeth drwy fy mlwch llythyr i."

"Diolch," meddai Pitw. "Brechdan jam?"

"Ddim ar hyn o bryd," meddai Miss Pearl. "Dw i ar fy ffordd i'r llyfrgell. Mae Ghengis Khan yn aros amdana i."

"Ydy e wir?" gofynnodd Pitw.

Arhosodd Pitw am ychydig, gan ddisgwyl esboniad gan Miss Pearl am ei diflaniad neithiwr, ond ddaeth dim.

"Astana!" meddai Pitw. "Mae'n rhaid imi ddweud wrth Mr George mai Astana yw prifddinas Kazakhstan."

"O," meddai Miss Pearl. "Wela i."

Rhoddodd Miss Pearl becyn i Pitw a diflannu yr un mor sydyn ag y daeth hi. Caeodd Pitw'r drws.

"Pwy oedd yno, Pitw?" gofynnodd Pat.

"Miss Pearl," meddai Pitw. "Mae hi'n mynd i gwrdd â Ghengis Khan yn y llyfrgell."

"Hyfryd," meddai Pat.

Rhuthrodd Pitw i'r stafell ganol ac agor y parsel. DVD arall.

Pennod 12
Tŷ GPR

Doedd GPR ddim wedi gwylio DVD Mecsico eto. Roedd y ffilm yn dangos yr awyren yn glanio a phawb yn gwenu ac yn estyn croeso cynnes i'r ymwelwyr. Roedd hefyd yn dangos prif olygfeydd y wlad a'r y gwestai crand, y pyllau nofio, y bwyd, y bob ifanc hapus, y diwylliant cyfoethog – pawb a phopeth yn hapus. Yna daeth y ffilm i ben.

"Tryffls?" gofynnodd GPR.

"Beth ydy'r rheina?" gofynnodd Pitw.

"Y siocledi diweddara," meddai GPR.

"Os gweli di'n dda," meddai Pitw. "Ers y toriadau yn ein tŷ ni, mae fy stumog yn gwichian

fel mochyn."

"Grêt," meddai GPR.

"Mae DVD arall wedi cyrraedd o lysgenhadaeth Mongolia," meddai Pitw. "Ond gwell canolbwyntio ar Fecsico ar hyn o bryd."

"Mae gen i gwpwl o CDs cerddoriaeth o wahanol leoedd yn y byd allan o'r gyfres World Roots," meddai GPR. "Dylai hynny greu tipyn o awyrgylch."

"Gwych," meddai Pitw.

"Ydy'r bobl yma'n mynd i gredu eu bod nhw ym Mecsico?" gofynnodd GPR. "Wir yr nawr? Achos dwi ddim eisiau gwneud ffŵl ohonof i fy hun."

"Bydd hynny'n amhosib," meddai Pitw. "Creu cyffro sy rhaid. Defnyddio dychymyg a bydd y ddau ohonon ni ar ein ffordd i'r miliwn cyntaf."

Athrawon oedd rhieni GPR. Roedd Dilwyn, ei dad, yn brifathro ysgol uwchradd a'i fam, Gwenllïan, yn ddirprwy yn yr un ysgol.

"Dydyn nhw ddim gartre," meddai GPR. "Dydyn nhw byth gartref. Lwcus fod Mam-gu yn byw 'da ni. Mae'r ddau yn treulio oriau yn gweithio yn yr ysgol bob nos."

Pennod 13
Cyfweliad arall

Cafodd Idris gyfweliad mewn garej i weld a fyddai e'n gallu trwsio ceir pobl eraill. Doedd e ddim yn siŵr ym mha ben roedd yr injan. Er mwyn cael ei daliadau o'r swyddfa waith roedd yn rhaid iddo fynd am gyfweliad bob hyn a hyn a rhoi'r argraff ei fod yn chwilio am waith. Ond ysgrifennu llyfr oedd y peth mawr yng ngolwg Idris bellach.

Roedd nifer disgyblion Pat wedi cynyddu o un i ddau.

"Rydwi wedi dyblu fy llwyth gwaith," meddai hi.

Clywodd Mr Kumar, perchennog y siop bapur leol, fod Pat wedi dechrau rhoi gwersi preifat ac felly roedd yn gwerthfawrogi bod ei ŵyr yn gwneud synau ofnadwy gyda'i ffidil yn rhywle arall.

Gwnaeth Pitw bosteri lliwgar yn cynnig Gwyliau Rhithwir ym Mecsico a rhannodd y taflenni bychain rhwng rhai o'r cymdogion eraill. Cafodd ymateb sydyn iawn o rif saith. Teulu ifanc oedden nhw, mam a thad gyda dau o blant bach.

Pennod 14
Y noson fawr

"GPR!" llefodd Pitw ar y ffôn. "Dwyt ti ddim yn mynd i gredu'r peth! Mae rhywun wedi dychwelyd y daflen. Mae rhif saith eisiau prynu Gwyliau Pitw Cyf."

"Beth?" gofynnodd GPR yn anghrediniol yr ochr arall y llinell.

"Rydyn ni wedi bachu rhywun," meddai Pitw. "Mae rhywun eisiau ein gwasanaeth ni. Mae rhywun eisiau gwyliau rhithwir ym Mecsico."

"Pryd?" gofynnodd GPR yn betrusgar.

"Heno," meddai Pitw yn gynhyrfus.

"Heno?" gofynnodd GPR, wedi dychryn.

"Ie," meddai Pitw.

"Ond beth am ein dillad?" gofynnodd GPR. "Does dim sombreros 'da ni. Does dim bwyd Mecsicanaidd 'da ni. Does dim cerddoriaeth Fecsicanaidd 'da ni."

"Paid â becso," meddai Pitw. "Dere â'r pethau sy agosaf at Fecsico."

"Agosaf at Fecsico?" gwaeddodd GPR. "Fedrwn ni ddim gwisgo fel cowbois a defnyddio miwsig Americanaidd, mae'n rhaid iddo fod yn gywir. Mecsico neu ddim!"

"GPR! Mae'n rhaid imi fynd. Wela' i ti heno," meddai Pitw.

Rhoddodd Pitw'r ffôn yn ei grud. Roedd e'n gynhyrfus iawn. Doedd e ddim yn disgwyl canlyniad mor sydyn â hyn. Ond roedd yn rhaid gwneud y gorau ohoni.

"Pitw!" gwaeddodd ei dad. "Mae swper yn barod."

Pennod 15
Daeth yr awr

Ymhen yr awr roedd Pitw'n barod ac yn edrych ar ei lun yn y drych. Roedd e wedi chwilio pob twll a chornel am ddillad addas. Dyna'r gorau y gallai ei gynnig i ddehongli Mecsico. Gwisgai het enfawr ei fam ac un o lieiniau'r gwely fel clogyn. Roedd clogyn Spiderman ganddo ond roedd hynny yn mynd â'r dychymyg yn rhy bell. Paentiodd ei wyneb gyda hylif brown gwneud grefi. Canodd cloch y drws.

"GPR," meddai Pitw. "Sgwn i beth mae e'n ei wisgo?"

Agorodd Pitw'r drws ac yno safai GPR wedi ei wisgo fel brenin o'r Dwyrain mewn drama Nadolig, a phenwisg hynod o gymhleth wedi'i chlymu o amgylch ei ben.

"Beth yn y byd yw'r lliw yna?" gofynnodd GPR.

"Gravy browning," meddai Pitw. "Rwyt ti'n edrych fel Gandhi."

"A tithau'n edrych fel rhywun o'r blaned Zog," meddai GPR. "Dyw hyn ddim yn mynd i weithio."

"Wrth gwrs ei fod e'n mynd i weithio," meddai Pitw, yn llawn hyder. "Gest ti'r gerddoriaeth addas?"

"Yr unig beth roeddwn i'n gallu dod o hyd iddo fe oedd record henffasiwn o fiwsig Rwsiaidd," meddai GPR.

"Paid â becso, dere â fe," meddai Pitw. "Mae e'n siŵr o weithio."

"Miwsig araf iawn yw e, cofia," protestiodd GPR. "Mae miwsig Mecsico yn fywiog ac maen nhw'n clapio ac yn gwneud synau hwylus iddo fe."

"Dere," meddai Pitw. "Fe rown ni'r miwsig i chwarae'n gyflym. Fydd neb yn sylwi. Rhaid i ni fynd."

Pennod 16
Mecsico

Cnociodd ar ddrws rhif saith a ddaeth dyn i'r drws.

"Gwyliau Pitw Cyf," meddai Pitw. "Ga i eich tocyn os gwelwch yn dda?"

Edrychodd Dr Patel i lawr ar y ddau grwt oedd yn sefyll ar ei drothwy.

"Y …" meddai Dr Patel. "Roeddwn i'n disgwyl rhywun hŷn."

"Mae'r tocynnau yn ddiogel yn rhywle mae'n siŵr," meddai Pitw. "Pitw ydw i, perchennog y cwmni, a dyma fy nirprwy, Geraint Peregrin Roberts neu GPR."

"Noswaith dda," meddai Dr Patel.

"Gawn ni ddod i mewn?" gofynnodd Pitw.

"Cewch," meddai'r doctor.

"Ydy Mecsico wrth eich dant?" gofynnodd Pitw yn llawn hyder.

"Ydy, ond ..." meddai Dr Patel.

Roedd hi'n amlwg fod y doctor wedi drysu ychydig. Brasgamodd Pitw i mewn i'r lolfa lle'r oedd y teulu Patel yn aros.

"Lan llofft â ni," gorchmynnodd Pitw. "Fe wna i helpu Dr Patel a'i wraig i bacio, GPR cer di i helpu'r plant plîs."

Gwenodd Rashi a Sita ar ei gilydd.

"Gwyliau," meddai Rashi.

"I'r dim," meddai Sita.

Carlamodd y ddau i fyny'r grisiau.

"Dewch," meddai Pitw. "Does dim amser 'da ni i golli."

Dilynodd y doctor a'i wraig.

Roedd Rashi a Sita yn sgrechian chwerthin yn eu stafelloedd gwely.

"Gogls," gwaeddodd Sita. "Paid anghofio'r eli haul, Rashi. Rydwi'n mynd â'r fflipers hefyd."

"Dwi eisiau mynd a fy mhêl fawr a'r offer criced," meddai Rashi. "O, dwi'n mwynhau'n barod."

"Beth am y crys yma?" gofynnodd Dr Patel.

Roedd y doctor yn clustfeinio ar ei blant. Doedd e ddim eisiau bod y tu allan i'r hwyl.

"Rhy ddiflas," meddai Pitw. "Bydd eisiau crysau lliwgar, llewys byrion."

"Beth am yr het yma?" gofynnodd Mrs Patel, gan ddechrau ymuno yn yr hwyl.

"Rhy fach o lawer," meddai Pitw. "Gwlad boeth yw Mecsico cofiwch."

"Beth am hon?" gofynnodd Mrs Patel eto. Roedd ganddi het fawr y byddai hi fel arfer yn ei wisgo i fynd i briodasau yn ei llaw y tro hwn.

"Campus," meddai Pitw. "Mae'n bryd mynd. Ydych chi'n barod, GPR?"

"Ydyn," atebodd y plant.

"Bip bip," gwaeddodd Pitw. "GPR! Rho'r cesys yn y bŵt wnei di, mae'r tacsi'n aros

53

amdanom ni."

Aeth Pitw i mewn i'r gegin, gyda Rashi a Sita'n ei ddilyn. Trefnodd y cadeiriau i edrych fel tacsi.

"Brysiwch," meddai GPR gan chwerthin yn uchel.

Cododd GPR y cesys dychmygol a dod i eistedd yn y blaen gyda Pitw. Caeodd Pitw'r drws.

"Am faint ydych chi'n mynd ar eich gwyliau?" gofynnod GPR.

Dyma oedd y sgwrsio rhwng y cwsmer a'r asiant teithio.

"Am bythefnos," meddai Rashi.

"Ennill y gwyliau wnaethon ni," medai Sita.

"Ydyn ni yn y maes awyr eto?" gofynnodd Rashi.

"Dim ond gyrru o gwmpas y tro nesaf yma, ac mi fyddwn ni yno," meddai Pitw.

Pitw oedd yn casglu'r tocynnau yn y maes awyr a GPR oedd yn pwyso'r bagiau.

"Mae'r bag ychydig yn rhy drwm, syr," meddai GPR. "Mae'n ddrwg gen i, bydd yn rhaid ichi dalu'n ychwanegol."

"O na," protestiodd Dr Patel. "Gymerwch chi siec? Does dim arian parod 'da ni."

Pitw oedd yn croesawu'r Pateliaid ar yr awyren a GPR gyflwynodd ei hunan fel peilot. Yn ystod y daith cafodd yr awyren brofi storm o fellt ac ymosododd anghenfil o'r blaned Zog arni. Dechreuodd Mrs Patel feichio crio.

"Achubwch y plant, peilot, peidiwch â gofidio amdanon ni," meddai hi.

"Mrs Patel," meddai GPR. "Mae gen i rocedi pwerus fan hyn. Fe gawn ni wared ar yr anghenfil mewn eiliad."

Llwyddodd GPR i lanio'r awyren ar un olwyn yn unig. Cafodd gymeradwyaeth y teulu cyfan.

Dangosodd Pitw ystafell tair seren i'r teulu yn y gwesty.

"Dyma'r pwll nofio," meddai Pitw. "Bydd y plant yn merlota yfory ac wedyn yn nofio gyda'r dolffiniaid yn y pnawn."

"Hwre," gwaeddodd Sita. "Rydwi'n dwlu ar geffylau."

"Ia-ba-da-ba-dw!" gwaeddodd Rashi. "Nofio tanddwr! Dyma'r gwyliau gorau erioed."

Trodd Pitw wres canolog y tŷ i'r rhif uchaf y gallai fynd ac yna eisteddodd pawb gyda'i gilydd i fwyta gwledd ardderchog.

"Mae'r bwyd yn boeth," meddai Dr Patel, yn chwifio ei law o flaen ei geg.

"Bwyd Mecsicanaid yw'r poethaf yn y byd," meddai GPR.

"Amser dawnsio," meddai Pitw.

Chwaraeodd GPR y record Rwsiaidd ddwywaith yn gyflymach na'r arfer ar yr hen chwaraewr recordiau ac roedd pawb wrth eu bodd yn ymuno yn yr hwyl.

Cafodd pawb gyfle i ddringo ar ben un o byramidiau'r Astec.

"Edrychwch ar yr olygfa," meddai Rashi. "Rydyn ni'n gallu gweld yr holl wlad o'r fan hyn."

Blasodd Mrs Patel ddiod tequila gyda mymryn o halen.

"Mae'r ddiod mor felys a'r halen mor hallt," chwarddodd hi. "Rydwi'n dechrau meddwi ychydig!"

"Dyma'r bywyd," meddai Pitw, gan wenu.

Profodd y teulu wledd o hanes Mecsico wrth wylio'r DVD. Gwelson nhw ben mawr Omlec wedi'i gerfio allan o garreg.

"Mae e fel Hympti Dympti," meddai Sita.

"I feddwl fod yr hen Asteciaid yn aberthu pobl i foddhau'r duwiau," meddai GPR. "Am syniad gwirion."

59

"Efallai ei fod yn wallgo ond roedd yn beth cyffredin yn y cyfnod hwnnw," meddai Pitw.

Aethon nhw o gwmpas stadiwm pêl-droed lle chwaraewyd rownd derfynol Cwpan y Byd.

"Waw," meddai Rashi. "Mae'n anferth."

"Mae fel bowlen ffrwythau," meddai Sita.

"Ydy!" meddai GPR. "Y flwyddyn honno, pan gafodd Gwpan y Byd ei chwarae yma, Brasil enillodd."

Gwelson nhw faner trilliw Mecsico a'r logo deniadol yn y canol. Gwelson nhw gerfluniau anhygoel yn Tenochtitlan, yn disgrifio sut roedd yr Asteciaid yn byw yn yr hen oesoedd.

"Wyddwn i ddim fod gan yr Asteciaid gymaint o ddiwylliant," meddai Mrs Patel.

"Beth oedd y sŵn yna?" gofynnodd Rashi.

"Parot uwch dy ben di," meddai Pitw. "Mae llawer iawn o adar trofannol gwahanol ym Mecsico."

"Dyna ddigon o ddiwylliant," meddai GPR. "Mae'n amser i gael antur yn y jyngl."

Bloeddiodd y plant yn llawn cyffro.

Roedd teulu'r Pateliaid wedi mwynhau ac yn

edrych yn flinedig dros ben wrth ddychwelyd i
Gaerdydd.

Clywodd Pitw sŵn cloch y drws.

"Esgusodwch fi," meddai'r doctor ac aeth i'r
drws. Pwy oedd yn aros yno ond Idris?

"Dad," meddai Pitw.

"Pitw," meddai Dad.

"Sut roeddech chi'n gwybod ble'r oeddwn i?"
gofynnodd Pitw.

"Wnes i sylwi ar ymateb Dr Patel ar dy daflen,"
meddai Idris.

"Mae'n ddrwg gen i Dr Patel, ond mae gan Pitw a Geraint ddychymyg bywiog iawn," meddai Idris.

"Ddim o gwbl," meddai'r doctor. "Rydyn ni wedi mwynhau bod i Fecsico'r wythnos hon, a'r wythnos nesaf pwy a ŵyr?"

"Efallai fod y dychymyg yn rhywbeth cyffredin," meddai Mrs Patel. "Ond ry'n ni wedi dysgu ei fod e'n rhywbeth prin mewn oedolion."

Aeth Pitw a GPR yn ôl i'r tŷ yn llawn o storïau, a'u pocedi'n llawn o arian.

"Dywedodd Dr Patel ei fod e'n mynd i ddweud wrth bob un o'i gleifion i brofi ychydig o ddychymyg byw Gwyliau Pitw Cyf.," meddai Idris wrth Pat. "Fe wnaiff e fyd o les iddyn nhw."

Daeth Pitw o hyd i wybodaeth am lawer o wledydd ac ynysoedd bychain.

"Mae'r rhain yn aros i gael eu darganfod gan bobl fel ni," meddai Pitw.

Edrychodd GPR ar ei ffrind gan wenu. Oedd, roedd cael dychymyg yn talu ar ei ganfed yn y pen draw.